Biblioteca básica de His

Biblioteca básica de Historia

Biblioteca básica de Historia

Biblioteca básica de Historia

Biblioteca básica de Historia

Biblioteca básica de Historia

Biblioteca básica de Historia

Descubrimientos
y descubridores

Descubrimientos y Descubridores
Biblioteca Básica de Historia

© **Dastin Export, S.L.**
Polígono Industrial Európolis, calle M, núm 9
28230 Las Rozas (Madrid) - España
Tel. (+) 34 916 375 254
Fax: (+) 34 916 361 256
e-mail: dastinexport@dastin.es
www.dastin.es

Dirección Editorial: Raul Gómez
Edición y Producción: José Mª Fernández
Coordinación Editorial: Ediproyectos Europeos, S.L.
Diseño de colección: Enrique Ortega

ISBN: 84-96249-88-3
Depósito legal: M-40.159-2004

Impreso en España / Printed in Spain

Descubrimientos y descubridores

Descubrimientos y descubridores   9
Manuel Lucena Salmoral
Bibliografía   138

Retrato de Magallanes, litografía de *La Ciencia y sus hombres*

Descubrimientos y descubridores

Manuel Lucena Salmoral

Catedrático de Historia de América. Universidad de Alcalá de Henares

Uno de los fenómenos que mejor caracteriza a la España de comienzos de la modernidad fue el de los descubrimientos geográficos, hasta el punto de que dicha modernidad fue, en gran parte, consecuencia de ellos. En apenas tres décadas, las transcurridas desde 1492 hasta 1522, el pequeño país europeo que había vivido introspectivamente, resolviendo sus problemas con los musulmanes que había dentro de la Península, se posesionó de parte de América y de todo un océano, el Pacífico, y se vio catapultado a una loca carrera de expansión universal. En el cuarto de siglo siguiente terminó de descubrir el continente americano desde California y el Medio Oeste norteamericano hasta el estrecho de Magallanes. Sus pescadores, sus escribanos, sus licenciados y sus vagabundos se transformaron por arte de magia en expertos conductores de empresas náuticas y terrestres, buscando insaciables los secretos de la tierra y el mar. El hecho es tan extraño en la historia de los hombres que todavía no ha sido explicado satisfactoriamente, y menos mediante las causas tradicionales. No vamos a intentarlo aquí, obviamente, donde sólo recogeremos cómo se produjo, dejando al lector la preocupación de la gran pregunta: ¿Por qué?

El Caribe y la Tierra Firme (1492-1518)

Eran dos mundos presentidos, aunque no en su verdadera forma. El Caribe lo formaban unas islas legendarias del Medioevo (Antilia, San Brandán, etcétera), que estaban en el Mar Tenebroso, más allá de lo hasta entonces conocido. La Tierra Firme no era ni más ni menos que la costa oriental de Asia, pero había varias: la del Catai o China, aquel país de los *millones de todo,* donde había estado Marco Polo, y la de la India, de donde se suponía que venía la especiería. A estas islas y tierras firmes de la Mar Océana partió Colón en 1492. Y fueron apareciendo descubiertas por él, y por otros navegantes, en el brevísimo espacio de veintiséis años. Lo que ocurrió es que eran distintas a como se habían imaginado.

De los muchos descubridores que ayudaron entonces a desvelar su misterio, destacaron dos a los que se ha erigido infinidad de estatuas mirando siempre hacia un lejano mar: Colón y Balboa. Marino y comerciante el primero, infante y conquistador el segundo. Ambos se complementaron, ya que Colón fue el primero que surcó la Mar del Norte con dirección a poniente, hasta topar con una tierra que le cerró el camino a Asia, y Balboa descubrió la Mar del Sur, siendo el primero que navegó en ella, representando así la continuidad en el hallazgo de la ruta marítima a aquel continente.

Cristóbal Cólon realizando mediciones sobre un globo terráqueo

En pos de una quimera

El genovés Cristóbal Colón fue el genial creador de la fantasía de que se podía llegar a Asia desde Europa navegando en una carabela hacia Occidente. Con él nació la geografía del disparate, que tendría enormes consecuencias en América, un continente desconocido sobre el que se hizo toda clase de consideraciones imaginativas en disonancia con su realidad, y que fue emergiendo de las brumas de los mitos. Colón acumuló todos los errores de la Antigüedad y del Medioevo sobre el ecúmene, desde Ptolomeo hasta Marco Polo, y consideró que el continente euroasiático tenía 75 grados de longitud más de los que tiene, deduciendo que el océano que separaba el extremo occidental de Europa del oriental de Asia era mucho menor. La navegación directa interoceánica podía reducirla además si salía de Canarias y llegaba al Cipango o Japón, estimando que sería de sólo 2.400 millas náuticas, en vez de las 10.600 que realmente hay.

Sus cálculos erróneos casaron bien con la realidad, pues a esa distancia empezó a encontrar islas, que supuso eran algunas existentes entre el Japón y China. No pudo imaginar entonces, aunque había pruebas evidentes de ello, que se trataba de un continente ignorado, el cual cerraba el paso a Asia desde el Polo Ártico hasta casi el Antártico. Contra esa muralla de tierra se estrellarían los españoles en todas sus exploraciones durante los siguientes veintisiete años, hasta abrir brecha en el estrecho de Magallanes.

Colón convenció a los Reyes Católicos para que auspiciaran y sufragaran parte del viaje a Asia y le otorgaron, además, una serie de privilegios económicos,

Libro tercero del *Arte de Navegar*, Madrid, Biblioteca Nacional

Recolección de la pimienta, ilustración del *Libro de las Maravillas*

Colón en el monasterio de
La Rábida explica los
fundamentos geográficos de su
proyecto (por Eduardo Cano
de la Peña, Palacio del Senado,
Madrid)

Mapamundi de Pedro de Medina, en *Suma de Cosmographia*

ARTICO

LINEA·EQVI   NOCIAL

TROPICO·DE·CA.   PRICORNIO

ANTARTICO

Maqueta de la nao *Santa María*, Madrid, Museo Naval

Retrato de Cristóbal Colón, Madrid, Museo Naval

Golfo de Paria, zona de llegada de Cólón en su tercer viaje, por T. de Bry

Barvodos

Cubacheira.

Matitinen.

P. de S.B.º

P. de galea.

In istam Insulam delatus est tertia Navigatio
Columbus, cui nomen indidit àb vnionibus, qua
ripana. quinta pars Regi cedit.

Monte especo.

tabaxa

Ancon.

Alegoría del descubrimiento de América (litografía de 1892, Monasterio de Sant Cugat del Vallés)

administrativos y sociales sobre las tierras que iba a hallar. Fueron las llamadas Capitulaciones de Santa Fe, firmadas el 17 de abril de 1492, sin duda alguna, el mayor talón al portador que se haya firmado en la Historia, y justificadas únicamente por el hecho de ser dadas sobre un negocio etéreo. Con la ayuda real y algunos préstamos que logró de sus paisanos, el genovés logró preparar la flotilla de los tres barcos famosos, la *Pinta*, la *Niña* y la *Santa María*, en los cuales se embarcó un centenar de hombres, principalmente andaluces y vascos, intrépidos y soñadores.

Pese a todos los esfuerzos clarificadores de los historiadores, no se comprende bien todavía cómo logró voluntarios para una empresa tan descabellada, lo que habla mucho en favor de las dotes de convicción de Colón, y más todavía de la capacidad ilusoria de los españoles. Salió con sus naves del puerto de Palos de la Frontera el 3 de agosto de 1492 y, tras una escala en las Canarias, se adentro en la Mar Océana, encontrando milagrosamente vientos alisios dominantes que le llevaron hasta una isla que los indios llamaban Guanahaní, los españoles rebautizaron como San Salvador y los ingleses la volvieron a rebautizar como Watling.

La distancia recorrida correspondía a lo calculado, por lo cual no dudó en asegurar que había alcanzado la India, si bien quedó un poco extrañado al ver que los indios eran bastante diferentes a como los habían descrito los viajeros medievales. No sabían nada de hebreo y ni siquiera de latín. Mas bien le parecieron guanches. Con todo, lo peor era que no usaban sedas, ni joyas, sino que andaban *como su madre los parió,* es decir, en cueros. Consideró que todo se debía al error de haber

Colón y sus hermanos, Bartolomé y Diego, detenidos por Bobadilla

13

Vasco Núñez de Balboa en una representación decimonónica británica

alcanzado algunas islas ignotas que estaban entre Japón y China y que el asunto mejoraría cuando llegara a Tierra Firme. Recorrió entonces otras cuatro islas similares, una parte de otra mayor, a la que llamó Juana (Cuba), y la costa norte de Santo Domingo, a la que bautizó como La Española, por parecerse a España. Aseguró que su clima era como el de abril en Sevilla, misterio que aún nadie ha logrado descifrar. Al menos nadie que haya vivido en Santo Domingo y en Sevilla.

Tras perder la nao *Santa María* en la Nochebuena de 1492, construyó una fortaleza con sus restos que se llamó La Navidad, donde dejó 39 hombres abandonados a su suerte y esperando su regreso. Recogió algunos indios, muestras de oro y unos papagayos, emprendiendo el regreso en enero del año siguiente. Hizo su singladura, otra cosa enigmática, por una ruta excelente que le condujo a las Azores. Este tornaviaje constituye sin duda su mejor hallazgo como navegante y gracias a él quedó expedita la ruta de ida y vuelta a la India.

Núñez de Balboa

Colón hizo otros tres viajes más. El segundo, en 1493, permitió el hallazgo de Puerto Rico, Jamaica y otra serie de islas caribeñas (Dominica, Marigalante, Guadalupe, Monserrate, etcétera), así como recorrer otras zonas de Cuba (sur y suroeste) y La Española (sur). El tercero fue en 1498, descubriendo en él la isla de Trinidad y Tierra Firme en la península de Paria (Venezuela). En el cuarto (1502) halló otra Tierra Firme, la de Centroamérica, cuya costa recorrió desde el golfo de Honduras hasta Panamá; Colón murió en 1506, sin que al parecer se hubiese

Retrato de Américo Vespucio, Florencia, Galleria degli Uffizi

desengañado de la idea de haber llegado a la India asiática.

Vasco Núñez de Balboa navegó, en cambio, muy poco, aunque descubrió un océano y cifró su ilusión en viajar por él. En realidad, no hizo más que una travesía larga: la que le trajo desde la Península hasta América, de donde no regresó jamás. La hizo en el año 1500 en categoría de tripulante anónimo y bajo el mando de Rodrigo de Bastidas, cuando este escribano metido a descubridor halló la costa atlántica colombiana y parte de la panameña, hasta Puerto Escribanos, que así se llamó en su honor. Núñez de Balboa se estableció luego en la isla Española donde intentó hacer fortuna y al cabo no acumuló más que deudas.

En 1510 decidió ir a la recién creada gobernación de Urabá, acompañando al bachiller Fernández de Enciso, que iba a reforzar a su jefe, Alonso de Ojeda, quien debía encontrarse en algún lugar de la costa que iba desde el cabo de la Vela hasta el golfo de Urabá. Como Balboa estaba empeñado hasta el cuello no podía salir legalmente y tuvo que hacerlo como polizón. Se escondió con su perro *Leoncico* en una pipa o tonel vacío, o dentro de una vela doblada –hay versiones para todo–, y salió cuando el barco estuvo en alta mar. Enciso estuvo a punto de devolverlo a Santo Domingo en uno de sus típicos arrebatos, pero al final se abstuvo cuando se lo pidieron sus hombres.

Hizo bien, porque Balboa le resultó de enorme utilidad cuando encontraron los restos de la expedición de Ojeda: un grupo de supervivientes que venían huyendo de San Sebastián de Urabá, mandados por un oscuro teniente llamado Francisco Pizarro. Cuando nadie sabía qué hacer, Balboa dijo que conocía un sitio muy

Américo Vespucio
en las costas de Guayana,
grabado, por T. de Bry

Lucha de las tropas de Hernán Cortés contra los aztecas, códice Durán

Vicente Yáñez Pinzón, Madrid, Museo Naval

bueno para poblar pues lo había visto cuando pasó por allí con Bastidas. Había un puerto, un río y un lugar despejado donde los indios no usaban flechas envenenadas. Allí se fueron todos y fundaron la ciudad de Santa María la Antigua del Darién, primera que hubo en la América continental. Se eligió cabildo y Balboa resultó elegido alcalde, como era natural.

Acaeció luego infinidad de sucesos que no son del caso narrar aquí. Lo importante es que Balboa dirigió aquella pequeña colonia y se dedicó a explorar los cacicazgos próximos, con los que estableció pactos de sumisión o de amistad. No hubo grandes batallas con los indios, ni una conquista tan cruenta como la de otros lugares de Indias, aunque tampoco faltaron episodios de enorme violencia. En 1511 y en tierras del cacique Comogre, el hijo de éste, llamado Panquiaco, se sorprendió de la voracidad de oro de los españoles y preguntó a Balboa por qué no iba a buscarlo donde lo había en abundancia, en la otra mar, señalando al sur de donde estaban. Fue la primera vez que los españoles tuvieron confirmación de la existencia de la otra mar, la que llevaba a China y a la Especiería y que venían buscando desde hacía diecinueve años, cuando Colón topó con América.

Balboa era hombre tranquilo y ceremonioso y esperó hasta septiembre de 1513 para ir a la Mar del Sur. Entonces, cruzó el istmo con un puñado de hombres y en el 27 de dicho mes y año alcanzó una cumbre desde la cual vio el océano Pacífico. Estaba solo, contemplando la majestuosidad del paisaje, pues había dejado a sus hombres al pie del cerro para ser el primero que viese el anhelado mar. Una prueba más del extraño individualismo español. Reunido con sus hombres bajó

Isla de las perlas
o de Cubagua, grabado,
por T. de Bry en *Americae*

Monumento a Juan Ponce de León, Puerto Rico

hasta la playa, en el golfo de San Miguel, y tomó posesión de dicho mar, con todas sus tierras e islas. Intentó navegar hasta la isla de las Perlas en unas canoas, pero le fue imposible por estar la mar brava. Se limitó a hacer cabotaje. Luego volvió a Santa María, informó del descubrimiento y su destino se cruzó con el de Pedrarias Dávila.

En 1518 y en un bergantín que logró fabricar, recorrió parte de la costa sur panameña, donde oyó hablar de un misterioso país llamado *Virú* o *Pirú* en el que había mucha riqueza. La vida no le dio más, ya que se la cortó Pedrarias al decapitarlo al año siguiente en la población de Acla.

Los descubrimientos del litoral atlántico

El monopolio descubridor de Colón acabó en 1498. A partir de entonces, otros muchos se dedicaron a hacerle la competencia. Para no cargar con los gastos de tales empresas la Corona española inventó las llamadas Capitulaciones de Descubrimiento y Rescate, mediante las cuales permitía que los particulares sufragaran tales viajes a cambio de quedarse con parte del botín que hicieran (el 20 por 100 iba al rey) y de algunos privilegios. Alonso de Ojeda inauguró la nueva etapa, asociado con Juan de la Cosa y Amerigo Vespucci, y descubrió en 1499 la costa venezolana desde la península de Paria hasta la de Guajira. El mismo año le siguieron los socios Pero Alonso Niño y Cristóbal Guerra, que encontraron la isla Margarita, donde lograron 96 libras de perlas. También el año 1499 salieron las dos expediciones de Vicente Yáñez Pinzón y Diego de Lepe.

El primero descubrió la actual costa brasileña existente entre el cabo de San Roque y la desembocadura del río Amazonas. El segundo, desde las bocas del Amazonas a las del Orinoco. En 1500, como dijimos, Rodrigo de Bastidas halló la costa atlántica colombiana y parte de la panameña.

Descubierta por el portugués Álvarez Cabral la costa brasileña en 1500, quedaría al sur de ésta la argentina, cuyo hallazgo se atribuye a una expedición dudosa de Vespucio (1501-1502) y, sin duda alguna, a Díaz de Solís, como veremos. En cuanto a la zona atlántica existente al norte del golfo de Honduras, recorrida por Colón en su cuarto viaje, plantea algunos problemas. Un viaje dudoso de Díaz de Solís y Yáñez Pinzón en 1508 pudo pasar por el litoral comprendido entre Honduras y la península de Yucatán buscando un paso interoceánico.

En 1512 Juan Ponce de León bojeó la costa oriental de La Florida, desde los 31° al sur, y pasó a la costa occidental hasta la bahía de Tampa. Se considera, no obstante, que el descubridor de tal península fue Giovanni Caboto –Juan Gaboto– quien realizó un viaje al servicio de Enrique VII de Inglaterra en el año 1498 por toda la costa atlántica de lo que hoy son los Estados Unidos. En cuanto a la costa atlántica mexicana, fue descubierta por dos expediciones mandadas desde Cuba en los años 1517 y 1518 por Francisco Hernández de Córdoba y Juan de Grijalba. De esta forma, todo el antemural atlántico de América era conocido en 1518, habiendo resultado inútiles todos los esfuerzos por encontrar en él un paso hacia el otro océano, el Pacífico.

Sí pudo encontrarlo, pero murió antes de recorrerlo, Juan Díaz de Solís, a quien el rey Católico ordenó en 1515 descubrir *las espaldas de Castilla del Oro* o la parte de

Cuzco, grabado de *Civitates Orbis Terrarum*, Madrid, Bib. Nacional

Derrota y muerte de Gonzalo Pizarro, grabado, por T. de Bry

atrás de aquella colonia panameña que tenía capital en Santa María la Antigua del Darién. Es decir, la costa en donde Balboa había visto la Mar del Sur en 1513. Solís debía recorrer el frente suramericano hasta encontrar el estrecho, y pasar luego al Pacífico. Con sus naves cruzó frente al litoral uruguayo y descubrió luego el Río de la Plata, donde murió a manos de los indios. Sus compañeros regresaron a España sin atreverse a seguir adelante.

Podemos decir así que al terminar el año 1518 los descubridores españoles, portugueses e italianos (Juan Gaboto y Amerigo Vespucci eran genovés y florentino aunque estuvieron al servicio de Inglaterra y Portugal) habían perfilado toda la fachada atlántica del continente aparecido en 1492 en la ruta hacia la India, aunque sin haber podido hallar la forma de atravesarlo para continuar hacia el Oriente, donde estaban las enigmáticas China e India y, sobre todo, las islas de la Especiería, verdadero motor de todo el proyecto frustrado de Cristóbal Colón.

Fue una década verdaderamente prodigiosa en la cual los españoles descubrieron el interior de Norteamérica, se afincaron aún más en Centroamérica y en las islas del Caribe y pasaron al Pacífico, considerado en un principio como un *Mare Nostrum* de la monarquía española. De los muchos descubrimientos y descubridores que hubo en estos dos lustros, sobresalieron dos que pueden servir como modelo: el de México, obra de Hernán Cortés, y el del Pacífico, con su consecuencia de la primera vuelta al mundo, debido a Magallanes-Elcano.

Hernán Cortés es el descubridor de la cultura indígena más importante de Norteamérica, la azteca, de

Encuentro de Moctezuma con Hernán Cortés, por M. Hernández, Madrid M. América

Hernán Cortés con Malitzin, grabado francés

numerosos espacios de México y el fundador de la Nueva España. En realidad, es el verdadero descubridor de México a excepción de su costa atlántica que fue encontrada por Hernández de Córdoba y Grijalba. Cortés había nacido en Medellín (Extremadura) el año 1484, hizo algunos estudios en Salamanca y embarcó para América en 1504, estableciéndose en Santo Domingo.

En 1511 participó en la conquista de Cuba bajo el mando de Diego de Velázquez, obteniendo luego un repartimiento de indios y una escribanía. Nombrado teniente de gobernador por Velázquez en 1518 para la expedición a México, partió al año siguiente, recorriendo la costa desde Yucatán hasta Veracruz, donde fundó la población de Villarrica. Al hacerlo, consiguió que el Cabildo le nombrara gobernador y capitán general, con lo cual se independizó de Velázquez, aunque, de momento, quedó en rebeldía, pendiente de la confirmación o el rechazo reales. También logró que su hueste le concediera un quinto (20 por 100) del botín que lograsen capturar, después de deducir el quinto real del mismo. Tras establecer contacto con algunos embajadores aztecas y aliarse con los totonacas partió hacia el interior de México con dirección a Tlaxcala.

Tras numerosos combates derrotó y logró la alianza tlaxcalteca, que resultaría decisiva en la conquista. Prosiguió a Cholula, la ciudad santa de los aztecas, donde hizo una gran matanza con el pretexto de evitar una emboscada. Finalmente, el 11 de noviembre de aquel mismo año (1519) llegó a la ciudad de Tenochtitlan, que descubrieron los españoles pareciéndoles una de las fantasías que se narraban en las novelas de caballerías. Motecuhzoma Xocoyotzin, jefe de la confederación

Honras fúnebres por Atahualpa, óleo siglo XIX; junto al túmulo, Pizarro

azteca, les recibió con toda solemnidad y hospitalidad, abriéndoles la ciudad por pensar que eran enviados de Quetzalcóatl, un antiguo héroe cultural azteca.

Cortés apresó a Motecuhzoma para asegurar su posición, se apoderó del tesoro de Axayacatl, que repartió como botín, y partió hacia la costa para enfrentarse con Pánfilo de Narváez, quien había llegado con 1.500 hombres y órdenes de Velázquez de apresar a Cortés por rebeldía. Derrotó a Narváez sirviéndose más de la astucia que de la fuerza y regresó a Tenochtitlan, donde los aztecas le hicieron ya un combate continuo para expulsarle. Obligó entonces a Motecuhzoma a hablar a su pueblo desde una terraza del palacio en que estaban sitiados para que ordenase a sus súbditos cesar las hostilidades, pero murió a consecuencia de las pedradas que lanzaron contra los españoles.

Nuevos poblamientos

Abandonó la ciudad en la famosa *Noche triste* (30 de junio de 1520) y volvió a Tlaxcala, desde donde puso en marcha el asedio y conquista de Tenochtitlan, que defendía ahora Cuauhtemoc, sucesor de Motecuhzoma. Después de una heroica resistencia la ciudad cayó en manos españolas el 13 de agosto de 1521.

Cortés inició una febril actividad para descubrir el territorio mexicano, encontrar sus riquezas y establecer los centros poblacionales españoles. Sus expedicionarios llegaron a la costa del Pacífico y a la costa noratlántica de México (Panuco). En 1522 recibió del emperador la legalización del título de gobernador que tenía provisionalmente desde la fundación de la Villarrica.

Atahualpa, último soberano inca

Francisco Pizarro y Diego de Almagro cierran un acuerdo con Hernando de Luque

Ejecución de Atahualpa (dibujo del Poma de Ayala)

Pedro de Valdivia, por Ignacio Zuloaga

Representación romántica de Hernán Cortés tras su llegada a México, auxiliado por *Malinche* como traductora

Tras autorizar a Alvarado el descubrimiento y conquista de Guatemala salió al frente de una gran expedición hacia Honduras (12 de octubre de 1523) dispuesto a castigar a su subalterno Cristóbal de Olid y a encontrar un paso interoceánico que suponía existía en la zona del golfo Dulce, así como minas de oro. Tardó año y medio en aquella aventura descabellada, en la que perdió mucho dinero y su salud. Durante la misma mandó ajusticiar a Cuauhtemoc, a quien acusó de una supuesta conjuración.

Vuelto a México fue objeto de una campaña de desprestigio y del juicio de residencia. Viajó a España en 1528 y logró su rehabilitación: título de marqués del Valle de Oaxaca, 23.000 vasallos y nombramiento de capitán general (no se le dio el de gobernador). En 1530 estaba de regreso en México y se ocupó de organizar descubrimientos en la Mar del Sur, donde confiaba hallar otras islas de la Especiería o una segunda Nueva España. Sus naves recorrieron el Mar de Cortés y en 1535 se puso al frente de unas naves que alcanzaron la península de California, que intentó colonizar. En 1539 mandó su última descubierta en esta costa. El capitán Francisco de Ulloa recorrió toda la península de California y subió por la costa pacífica hasta el cabo del Engaño. Fue su canto del cisne como descubridor. Al año siguiente volvió a España, donde moriría ya en 1547.

Los primeros descubrimientos en el Pacífico (excepto los hechos por Balboa) y su consecuencia de la primera vuelta al mundo fueron hechos por dos hombres geniales que las circunstancias hicieron trabajar en equipo, aunque jamás se lo propusieron, como son Fernando de Magallanes y Juan Sebastián Elcano. Al portugués Fernando de Magallanes le confió el

Ruta seguida por Magallanes y Elcano sobre un mapa de Agnese Batista

emperador una flota de cinco naves, que costaron casi cuatro millones de maravedíes, con la misión de navegar con ellas por la costa de Suramérica hasta que encontrara un estrecho que le permitiera pasar a la Mar del Sur, descubierta por Núñez de Balboa, Luego debía navegar por ella hasta las islas de la Especiería. Tomaría posesión de ellas y emprendería el viaje de regreso por el mismo camino utilizado en la ida. De aquí que se le recomendase medir bien las provisiones para que luego no faltasen en el tornaviaje. Nadie podía imaginar entonces que encontrar la ruta de regreso de Oceanía y Asia a América sería una de las empresas más difíciles y no se lograría hasta el año 1565, cuando Urdaneta lograra hallar la vía de Poniente.

Magallanes: en busca del estrecho

Magallanes salió con sus 237 hombres embarcados en las cinco naves, el 20 de septiembre de 1519 y del puerto de Sanlúcar de Barrameda. Se hizo sin dificultad la travesía a Canarias y luego a Río de Janeiro. Desde aquí empezó la singladura al Sur. Costearon Montevideo y llegaron a la desembocadura del río donde murió Solís, el predecesor de ellos en la búsqueda del estrecho. Siguieron adelante hasta abril de 1520. Viendo que el invierno iba en aumento, decidieron allí esperar a la llegada del verano austral. Estaban en San Julián, un puerto situado a los 40° 30' de latitud meridional. Allí repararon naves, trabaron contacto con los indios y exploraron la costa, perdiendo un navío, el *Santiago*. Con todo, lo más importante fue un motín contra Magallanes capitaneado por Juan de Cartagena, capitán de la nao

El Licenciado Gonzalo Ximenes de
Quesada descubrio el nuevo Reyno
de Granada

Gonzalo Jiménez de Quesada

Monumento a Domingo Martínez de Irala en Asunción

Sebastián de Benalcázar, contraportada del libro *Cabildos de Quito*

San Antonio, y en el que participaron muchos tripulantes, Juan Sebastián Elcano entre otros. ¿Sus causas? Las penalidades del viaje, la decisión de Magallanes de seguir avanzando al Sur y la xenofobia (Magallanes era portugués y aquél era el año del levantamiento de las Comunidades). Dominado el motín, el general castigó sólo a los cabecillas, para no diezmar su gente.

Tras cinco meses de invernada se reanudó la marcha al Sur. Otra escala de dos meses en Santa Cruz y el 21 de octubre llegaron al cabo de las Vírgenes y luego encontraron y exploraron el estrecho de los Patagones, que llevará en el futuro el nombre de Magallanes. Allí se perdió otro barco, el *San Antonio,* que regresó a España con la noticia. El resto pasó a lo largo de un mes los distintos portillos y salió a la Mar del Sur el 28 de noviembre de 1520, encontrándolo, cosa rara, en calma, por lo que tomaría el nombre de Pacífico. Magallanes decidió seguir adelante y emprendió la travesía del océano para llegar a las Molucas. Después de tres meses de navegación directa, en la que se pasaron las mayores calamidades, alcanzaron las Marianas y, tras ellas, las Filipinas. Aquí, en la isla de Cebú, murió Magallanes a manos de los indígenas.

Juan Sebastián Elcano

La flotilla fue mandada luego por diversos capitanes. Como murieron 72 hombres se decidió hundir la *Concepción,* quedando sólo dos naves, la *Trinidad* y la *Victoria,* que navegarán un año por el archipiélago de Sonda y Borneo. Finalmente, enrumbarán hacia las Molucas, a donde llegaron el 8 de noviembre de 1521.

Fray García de Loaysa, primer presidente del Consejo de Indias

Juan Sebastián Elcano, óleo, anónimo, Sevilla, Museo Colombino

Hernando de Magallanes, óleo, anónimo, Madrid, Real Academia de Bellas Artes

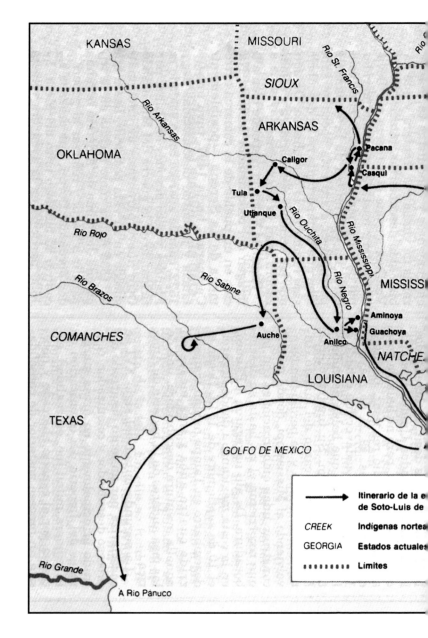

KANSAS   MISSOURI   Rio G

Rio St. Francs

SIOUX

Rio Arkansas   ARKANSAS

OKLAHOMA   Pacana

Caligor   Casqui

Tula   Rio Ouchita

Utianque

Rio Rojo   Rio Mississippi

Rio Brazos   Rio Sabine   MISSISS

Rio Negro

COMANCHES   Auche   Aminoya

Anilco   Guachoya

NATCHE

LOUISIANA

TEXAS

GOLFO DE MEXICO

Itinerario de la e
de Soto-Luis de

CREEK   Indigenas nortea

GEORGIA   Estados actuales

········   Límites

Rio Grande

À Rio Pánuco

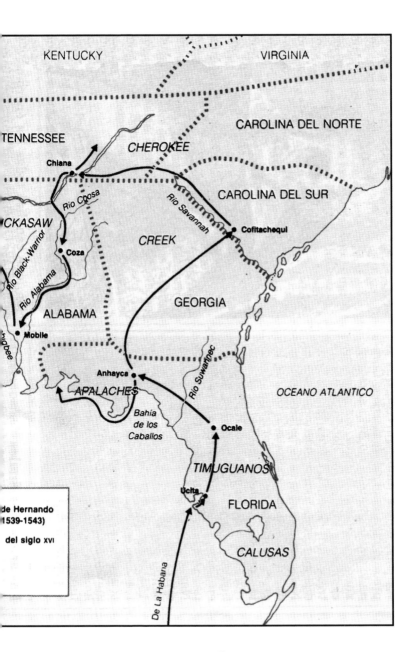

KENTUCKY

VIRGINIA

TENNESSEE

CAROLINA DEL NORTE

CHEROKEE

Chiana

ICKASAW

Río Coosa

CAROLINA DEL SUR

Río Savannah

Cofitachequi

Coza

CREEK

Río Black Warrior

Río Alabama

ALABAMA

GEORGIA

Mobile

higbee

Anhayca

APALACHES

Río Suwannee

OCEANO ATLANTICO

Bahía
de los
Caballos

Ocale

TIMUGUANOS

Ucita

FLORIDA

de Hernando
(1539-1543)

del siglo XVI

CALUSAS

De La Habana

73

Río de la Plata y tierras
de la Corona española
en virtud del Tratado
de Tordesillas

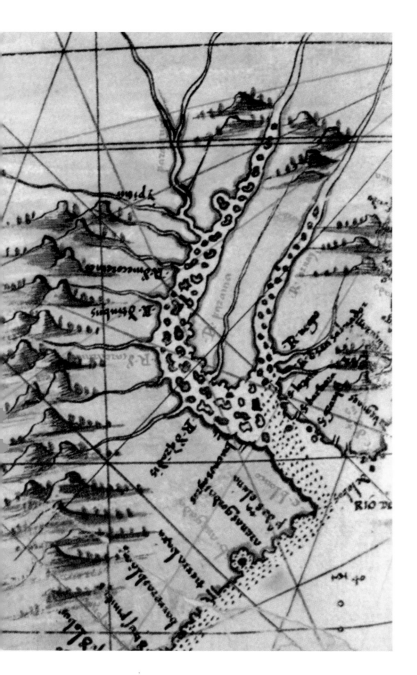

Atracaron en la isla de Tidore, estableciendo buenas relaciones con los indígenas y cargando una buena provisión de especiería. Posiblemente en esta isla se tomó la gran decisión: la nao *Trinidad*, bajo el mando de Gómez de Espinosa, intentaría cumplir el plan magallánico de buscar la ruta de regreso a América, repasar el estrecho y tornar a España; la nao *Victoria*, comandada por Elcano, iba a procurar el regreso por la ruta portuguesa, con todo el peligro que esto implicaba, y completando la primera vuelta al mundo. El 21 de diciembre de 1521 la *Victoria* soltó amarras en Tidore. La *Trinidad* tuvo que hacer algunas reparaciones y salió más tarde. Intentaría sin éxito el tornaviaje a América y caería finalmente en manos portuguesas.

La *Victoria* intentó la locura de hacer la ruta Molucas-España sin escalas, pues temía ser capturada por los lusitanos y ello hizo que la travesía fuera muy penosa. Durante cuatro meses y medio se realizó el trayecto hasta el cabo de Buena Esperanza, que avistaron el 6 de mayo de 1522. De nuevo soportaron la pesadilla del hambre, la sed y la fatiga. El escorbuto diezmó la tripulación. Desde Buena Esperanza, se puso rumbo Norte, pero procurando ir lejos de la costa para evitar las naves portuguesas. El 9 de junio llegaron a las islas portuguesas de Cabo Verde. No tenían agua, ni alimentos. Llevaban más de cinco meses y medio de navegación seguida. Decidieron atracar y hacerse pasar por un buque que venía de Indias. Se envió un bote con doce hombres para traer agua y provisiones. Tras varios viajes, los portugueses averiguaron que venían de las Molucas y apresaron a los hombres del bote. Elcano mandó izar velas y salió rápidamente de las islas, sin que pudieran darle alcance. El 6 de septiembre atracaron

en Sanlúcar de Barrameda y dos días después en Sevilla.
De aquella nave desvencijada, llena de clavo, bajaron
sólo dieciocho hombres, que habían ganado la fama por
dar la primera vuelta al mundo y habían perdido un día
de sus vidas por la misma razón. Elcano había logrado al
fin el sueño colombino de ir a las islas de la Especiería
por la ruta de Occidente y los reyes de España tenían
nuevas posesiones y riquezas que añadir a su
patrimonio.

Expediciones más notables

Durante la década 1519-29 prosiguió el descubrimiento y
conquista de Centroamérica y se intentaron nuevos
establecimientos en Norteamérica. Pedrarias Dávila fue
ensanchando sus dominios desde Panamá hacia
Nicaragua. En 1522, el piloto Andrés Niño recorrió la
costa pacífica costarricense y nicaragüense. Gil González
Dávila descubrió la tierra de los caciques Nicoya y
Nicarao, y Alvarado realizó el descubrimiento y
conquista de Guatemala, donde construyó varios barcos
para descubrir por la Mar del Sur.

En Norteamérica las naves de Diego Caballero y
Pedro de Quexos ojearon la costa atlántica hasta los 37°
en 1520. En 1524, Esteban Gómez, el piloto que había
desertado en el estrecho de Magallanes, capituló un viaje
a la costa norteamericana para descubrir un estrecho
interoceánico. Gómez hizo su viaje a fines de ese año y
recorrió, seguramente, la costa altántica desde la
península del Labrador hasta La Florida. No encontró el
estrecho; sin embargo, en la costa actual de Carolina, y
en un sitio llamado Chicora, recogió a un indio que

Virgen de los navegantes, óleo, por Alejo Fernández, Sevilla, Reales Alcázares

contó fantasías sobre su tierra, en la que decía abundaban las perlas. Ello indujo a Lucas Vázquez de Ayllón a capitular la conquista de Chicora. Fletó seis naves, reclutó medio millar de hombres y salió del Norte de España en 1526. Ayllón fundó una colonia en un lugar no bien determinado que se supone correspondió a la costa de la actual Carolina del Sur. Allí murió, como la mayor parte de sus hombres, regresando los supervivientes a La Española, y contando horrores de la tierra donde habían estado, con lo cual tomó mala fama.

En 1527, Pánfilo de Narváez capituló la conquista del golfo de México, que suponía más rico que la misma Nueva España. Organizó una flotilla de cinco naves en las que embarcó unos seiscientos hombres y salió hacia su objetivo al año siguiente. Un huracán arrojó las naves a La Florida. Narváez las mandó hacia Panuco y siguió con unos 300 hombres por la costa. Llegaron cerca de Tallahassee, volvieron a la costa, hicieron unos botes y al cabo quedaron sólo quince hombres perdidos frente a donde luego se erigió Galveston, que se redujeron sólo a cinco: Álvar Núñez Cabeza de Vaca, Dorantes, Castillo, Maldonado y el negro Estebanico, y luego a tres. Cabeza de Vaca, Dorantes y Estebanico emprendieron entonces su odisea de cruzar el Sur de los actuales Estados Unidos durante ocho años, cosa que lograron hacer.

García de Loaysa

Pero las mayores aventuras descubridoras de la década se dirigieron hacia el Pacífico, como es natural. Tras el regreso de la nao *Victoria* se creó una Casa de la Contratación en La Coruña, puerto más adecuado que el sevillano para el negocio especiero, que era preciso realizar con buques de gran calado. El diagrama estatal era mantener la Casa de Sevilla para el monopolio comercial de las Indias y la de La Coruña para el tráfico especiero.

También se aprestó rápidamente otra gran flota que seguiría los pasos de la de Magallanes. Estaba formada por siete barcos bajo el mando de fray Jofré García de Loaysa; Juan Sebastián Elcano, que quiso ir, figuraba como segundo general de la flota.

Las naos zarparon de La Coruña el 24 de julio de 1524. Esta vez la travesía del estrecho fue un verdadero calvario a causa de varias tormentas que dispersaron las naves y las averiaron seriamente. Al fin, el 26 de mayo de 1525 salieron al Pacífico, donde siguieron encontrando más tormentas. Murieron Loaysa y Elcano y Alonso de Salazar tomó el mando. El 4 de septiembre alcanzaron las Marianas. Luego siguieron los problemas. Murió Salazar, tuvieron discordias por el mando, pasaron por las Filipinas y al fin, en octubre, llegaron a las Molucas. Los portugueses estaban allí y los conflictos se tragaron la expedición.

Los españoles fueron reforzados con la llegada de la *Florida*, una embarcación enviada por Hernán Cortés desde México bajo el mando de Álvaro de Saavedra. Dos veces intentó esta nave volver a México sin lograrlo. Descubrió Nueva Guinea y al cabo sus tripulantes quedaron dispersos en las islas de Oceanía.

Tras la expedición de Loaysa se envió otra a la Especiería que mandaba Sebastián Gaboto, quien en capitulación firmada en 1525 se había comprometido a ir a las Molucas y regresar por una vía más rápida de la empleada por Elcano con la nao *Victoria*. Gaboto fletó

Pizarro narrando las riquezas de la región de Túmbez ante el Consejo de Indias

Expedición evangelizador del Padre Kino, que recorrió y exploró en la segunda mitad del siglo XVII y comienzos del XVIII California, Sur de Arizona, Colorado y Sonora

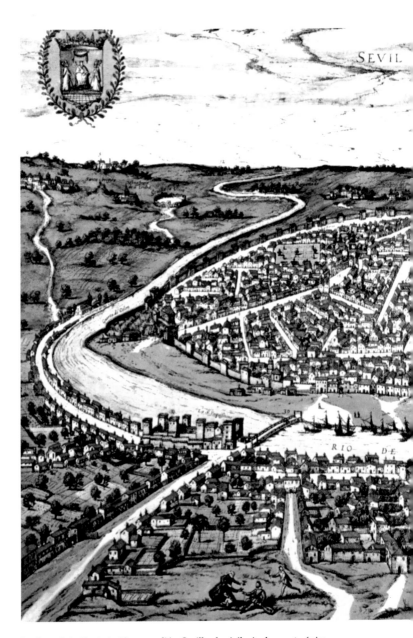

SEVIL

La Casa de la Contratación concedió a Sevilla el privilegio de puerto único

LA

La Cruz

GVADALQVEVIR

Pedro de Valdivia, Fco. de Villagrá y Jerónimo de Alderete, grabado

cuatro naves, en las que iban unos 200 hombres, muchos de ellos compañeros de Elcano. Salió de España el 3 de abril de 1526 y sólo llegó al río de la Plata, ya que los náufragos de Solís y de Loaysa, que halló en la costa brasileña, le hablaron de inmensas riquezas que poseía un *Rey Blanco* cuyo reino estaba en el río de Solís. Gaboto remontó el Plata y el Paraná, fundó Sancti Spiritus y exploró el Paraguay. Otra expedición frustrada a las Molucas fue la capitulada por Diego García de Moguer, antiguo compañero de Solís. Partió de Finisterre el 15 de agosto de 1525 y al llegar a la costa brasileña se dejó seducir por la leyenda del *Rey Blanco,* penetrando en el río de la Plata, donde halló a Sebastián Gaboto. Juntos, Gaboto y García de Moguer, buscaron *reyes blancos* y ciudades encantadas hasta 1529, cuando el segundo regresó a España. Gaboto lo hizo al año siguiente.

El año 1529 puso fin a los sueños especieros españoles, pues Carlos V firmó el tratado de Zaragoza; renunciando a sus derechos en las islas Molucas, que quedaron bajo jurisdicción portuguesa, a cambio de una indemnización económica. A principios de noviembre de 1530 llegó a las Molucas la armada portuguesa de Gonzalo de Pereira con la noticia del nuevo tratado, que convertía a los españoles en intrusos. Todo su esfuerzo por hacerse con las Molucas había sido inútil. El único legado de todo aquel capital humano sería la empresa pendiente de Filipinas.

Configuración de Suramérica (1530-1542)

Aunque la costa suramericana fue descubierta tempranamente, en el tercer viaje de Colón, su territorio fue prácticamente desconocido hasta la tercera década del siglo XVI. El hecho se debió a la dificultad geográfica de acceder a su interior y a la falta de atractivo para los españoles. En Tierra Firme encontraron tribus caribes, muy difíciles de dominar y escasas evidencias de oro. Por tal motivo, se limitaron a establecer algunos centros costeros de población en lo que hoy es Venezuela y la costa atlántica colombiana. La zona del Río de la Plata fue considerada paso al estrecho aunque Gaboto inició ya una política fundacional de escasa repercusión. La franja pacífica era desconocida y escondía la alta cultura incaica, cuyo hallazgo motivaría realmente el asalto al interior del continente. Suramérica se configuró así en la decena de años transcurridos de 1530 a 1542. Las Leyes Nuevas promulgadas este último año y la prohibición de nuevas conquistas ordenada a mediados de siglo supusieron el final de la etapa expansiva española, que se redujo a partir de entonces a un lento proceso en las zonas marginales.

Pizarro y Jiménez de Quesada

Característica de esta nueva etapa descubridora es que el hallazgo de nuevas tierras es seguido de inmediato por una acción conquistadora, terminada la cual se pasa a la colonización. Descubrimiento, conquista y colonización son por ello tres empresas casi simultáneas, difíciles de separar. De los muchos descubridores-conquistadores-colonizadores de la época podemos destacar dos que hicieron la interiorización hacia la región andina, verdadera espina dorsal del subcontinente, y fueron Pizarro y Jiménez de Quesada.

Andrés de Urdaneta, por Víctor Villán, Monasterio de El Escorial

Francisco Pizarro es el típico conquistador indiano. Nacido en Trujillo en el seno de una familia humilde hacia 1472, fue soldado de las campañas de Italia con el Gran Capitán y embarcó para Indias en 1502, participando en la odisea del cuarto viaje de Colón. En 1509 se enroló en la hueste de Alonso de Ojeda y fue fundador de San Sebastián de Urabá. Allí le dejó Ojeda con el nombramiento de teniente, para que decidiera el futuro de la hueste en el caso de que no volviera con los auxilios de la isla Española. Pizarro despobló San Sebastián y partió con sus hombres hasta encontrar al bachiller Enciso. Luego estuvo en la fundación de Santa María la Antigua del Darién y en las expediciones de Balboa. Siguió a las órdenes de Pedrarias Dávila y en las entradas de Morales a la isla de las Perlas. Más tarde, se instaló en Panamá, donde logró una posición acomodada. Tenía ya cincuenta años cuando decidió embarcarse en su empresa capital, la conquista del Perú.

Del misterioso Pirú o Virú, un país de inmensa riqueza, se venía hablando en Panamá desde 1513, cuando Balboa descubriera la Mar del Sur. Incluso había intentado llegar a dicho Perú don Pascual de Andagoya en 1522, si bien no alcanzó a pasar más que hasta el Chocó colombiano, donde se dio una remojada y volvió a Panamá con calenturas. Pizarro propuso la empresa del Perú a dos socios, Diego de Almagro y el padre Luque, que hicieron compañía. Almagro sería su socio conquistador y estaría encargado de buscar refuerzos. El padre Luque sería el socio capitalista y puso en realidad dinero ajeno, el del licenciado Gaspar de Espinosa. A última hora se añadió un socio imprevisto, el gobernador Pedrarias, que pidió parte del negocio a cambio de autorizar la expedición.

Retrato de Álvar Núñez Cabeza de Vaca

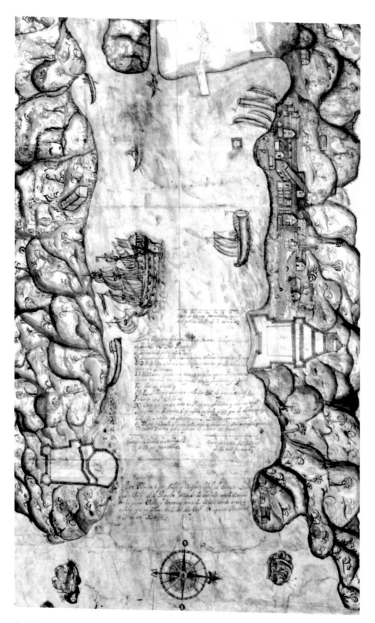

Bahía y ciudad de Portobelo, aguada del siglo XVII, Sevilla, Archivo Gral. de Indias

Mapa de la ciudad de Santo Domingo, aguada y tinta, Sevilla, A.G. de Indias

Carlos V, señor y rey de las Indias, por B. Strigel, Roma, G. Borghese

Pizarro salió de Panamá al descubrimiento del Perú el 14 de noviembre de 1524, dejando a Almagro para que le reforzara. Llegó hasta Puerto del Hambre, de donde regresó derrotado y con siete heridas. A Almagro le fue aún peor pues no encontró a su socio y en Puerto Quemado le dejaron tuerto los indios de un flechazo. La segunda salida la hicieron en 1526 alcanzando Atacames. Ante la agresividad de los indios decidieron replegarse a la isla del Gallo. Allí quedó Pizarro con sus hombres mientras que Almagro fue a Panamá por refuerzos. Don Pedro de los Ríos, nuevo gobernador de Panamá, decidió acabar con aquella sangría de hombres y mandó a su lugarteniente Tafur que fuera a la isla del Gallo y recogiese a toda la gente, para traerla a la ciudad. Tafur cumplió la orden, pero cuando llegó a la isla se encontró con la obstinación de Pizarro a permitir que sus hombres reembarcaran. Finalmente, viéndolo todo perdido, apeló al recurso de la voluntariedad. Trazó una raya en el suelo y dijo que la pasaran los que quisieran ir con él al Perú. La cruzaron trece, los de la fama, mientras el resto prefirió volver a Panamá.

Pizarro ordenó trasladarse luego a Gorgona, donde esperaron seis meses a que el gobernador cambiara de opinión. Don Pedro de los Ríos envió entonces una nave con Bartolomé Ruiz para auxiliar a aquellos tercos y dio un plazo de seis meses a Pizarro para terminar con su aventura peruana. Don Francisco Pizarro hizo entonces lo que debía haber hecho al principio. Embarcado en la nave de Ruiz, navegó toda la costa hasta alcanzar la ciudad de Túmbez (1528), entrada del Imperio incaico. Envió varios emisarios a tierra que le contaron las maravillas que vieron: una bella ciudad, rebaños de ovejas (llamas), gentes vestidas con ropas finas y un

Hernán Cortés, con enviados de Moctezuma, Diego Durán, Madrid, B. N.

Gonzalo Jiménez de Quesada (grabado de Badillo para *La Ilustración Española y Americana*)

templo de vírgenes donde se adoraba al sol. Prosiguieron luego por la costa hasta la desembocadura del río Santa y volvieron a Panamá.

Caída del Imperio incaico

Pizarro viajó a España con las muestras de la riqueza del Perú que había obtenido y capituló su conquista en 1529. Logró también que el emperador le nombrara gobernador y capitán general del Perú. Para su socio Almagro sacó sólo la tenencia de la fortaleza de Túmbez y para el otro socio, el padre Luque, el obispado de Túmbez y el cargo de protector de unos indios que no había visto. De regreso en Panamá salió para su tercera y última expedición al Perú en enero de 1531 con tres navíos. Nuevamente Almagro quedó recogiendo gente. Pizarro llegó a Tumbez, que vio esta vez con sus propios ojos, y siguió luego la costa hasta Tangarará, donde fundó San Miguel (1532).

Avanzó luego hacia Piura y Caxas, tratando de entrevistarse con el inca Atahualpa, quien marchaba entonces hacia Cajamarca. El 15 de noviembre de 1532 los españoles entraron en la ciudad de dicho nombre, que estaba vacía. Pizarro dispuso el orden de combate para cuando llegaran los incas. Y llegaron, en efecto, al día siguiente. Atahualpa venía sobre una litera y rodeado de guerreros. Entró confiado en la plaza de la ciudad, donde se destacó el padre Valverde para leerle el requerimiento que iba traduciendo malamente un indio de Puná, que sabía poco quechua y menos español. Quizá el inca tiró la Biblia cuando se la enseñó el padre, como dicen algunos cronistas, o quizá hizo algún gesto

Batalla de Otumba, triunfo de Cortés sobre los aztecas, anónimo

de estar harto de escuchar aquel discurso descabellado. Lo cierto es que el cura se dirigió a Pizarro y éste dio la orden de ataque. Rugió la artillería, bramaron los caballos y gritaron ¡*Santiago*! los españoles, que se lanzaron sobre la persona de Atahualpa, a quien atraparon. Los guerreros incas se retiraron asustados, y aquella tarde, la del 16 de noviembre de 1532 cayó el Imperio incaico.

Pizarro descubrió el Cuzco y dispuso expediciones a todos sitios para averiguar los secretos de la tierra. El capitán Agüero encontró el lago Titicaca.

Se enviaron expediciones al Alto Perú; Benalcázar partió hacia Quito, y Almagro, a descubrir Chile. En 1535 se fundó Lima y empezó la fase de colonización propiamente dicha.

Un conquistador pintoresco

Don Gonzalo Jiménez de Quesada es otro conquistador terrestre. Nacido en Córdoba o Granada hacia el año 1506 en el seno de una familia acomodada (su padre don Gonzalo Jiménez era abogado), estudió leyes en Salamanca y ejerció como abogado en Granada. Su figura disuena bastante con la de otros conquistadores indianos. De Pizarro le distancia su formación universitaria y sus buenas letras. De Valdivia y otros, no haber ejercido la carrera militar hasta que estuvo en Indias. De Cortés su enorme misoginia.

Sí, Jiménez de Quesada es de los pocos conquistadores que ni tuvieron mujer española ni convivieron con indias. Murió solterón y sin dejar ninguna aventura amorosa para solaz de los cronistas.

Fray Bartolomé de las Casas, por Antonio Lara, Sevilla, Bib. Colombina

Vasco Núñez de Balboa recibe del rey Panchiaco gran cantidad de oro, por T. de Bry

21

Incluso cuando la Corona le conminó a casarse y le amenazó con quitarle las encomiendas si no lo hacía se buscó testigos, un obispo y un médico, para que aseguraran que no podía matrimoniar a causa de su edad y de su asma. Lo que le gustaba a don Gonzalo era bien vestir, llevar buenas joyas, bien comer y jugar fuerte a los dados. Un descubridor y conquistador pintoresco.

Jiménez de Quesada llegó a América a principios de abril de 1535 como teniente del gobernador de Santa Marta, don Pedro Fernández de Lugo. Lo que muchos conquistadores tardaban años en lograr lo había obtenido simplemente por ser licenciado. Casi inmediatamente, fue puesto al frente de una gran expedición que debía descubrir las cabeceras del río Grande de la Magdalena y que estaba formada por 600 infantes y 70 caballeros, más una pequeña flotilla que subiría por vía fluvial hasta Somapallón, donde se reuniría con la fuerza terrestre. Es probable que muchos de sus hombres dudaran de la capacidad militar del licenciado en leyes, a quien nadie había visto jamás coger una espada y tenía ahora confiado el destino de una de las mayores fuerzas combativas de Indias.

En cuanto a la urgencia de ir a las cabeceras del río Magdalena hay que explicarlo en función de una serie de mitos que cabalgaban entonces por la zona septentrional de Suramérica. El más importante era el del *Meta,* un rico país existente donde se encuentra el río del mismo nombre. Ordás y los marañones lo buscaban por el Orinoco arriba. Los alemanes, desde Coro hacia los llanos y la Amazonía, y los samarios, río Magdalena arriba. Otro mito fantástico era que las cabeceras del Magdalena estaban a las espaldas del Perú, donde se hallaban las minas de los incas.

Quesada bordeó con su hueste la Sierra Nevada y llegó a Valledupar, Chiriguana, Tamalameque y Sompallón, donde acampó dos meses para esperar la flotilla. Viendo que no llegaba siguió río arriba hasta San Pablo, donde se le unieron los bergantines. Todos juntos continuaron hasta alcanzar la actual Barrancabermeja. Estaban a 180 leguas de la desembocadura, pero ni habían cruzado el Ecuador, ni habían aparecido las minas del Perú. El río Magdalena venía además muy crecido y era imposible situar campamentos en sus márgenes. Quesada mandó explorar en todas las direcciones y una partida dirigida por los capitanes San Martín y Nebrija entró por el río Opon, afluente del Magdalena; recorrieron unas 25 leguas, encontrando unos extraños panes de sal (eran de sal gema o de mina, no de sal marina).

Oro y esmeraldas

Al preguntar a los indios de dónde venían dichos panes les dijeron que de un país en el que abundaban el oro y la comida. Cuando Quesada tuvo tales informes decidió ir a buscar aquel país de riqueza. Mandó regresar las naves a Santa Marta con los enfermos y partió por el río Opón arriba.

Subió una gran sierra y el 9 de marzo de 1537 llegó a la primera población chibcha, a la que bautizó con el nombre de La Grita, por la algarabía que hacían los indios.

Aquí recogió el primer botín apreciable de oro. Desde allí se siguió por la ruta de los panes de sal hasta Guachetá, donde encontraron esmeraldas, Lenguazaque,

Faenas agrícolas de indios de La Florida, Lemoyne de Bry

Cucunubá y Nemocón y Zipaquirá, donde hallaron las minas de sal de las que se hacían los panes. Pasaron a Cajiccá y Chía, donde hicieron real por ser ya Semana Santa. Después de la festividad religiosa dieron con Suba y el valle donde vivían los chibchas de la confederación de Bogotá, que llamaron de Los Alcázares porque las viviendas indígenas les recordaron tal tipo de construcción.

En Bogotá tuvieron la primera batalla, que fue en realidad un pequeño combate, ya que los indios huyeron al ver correr los caballos. Sirvió para que el Zipa pudiera esconderse en la montaña. Asentado en aquel lugar, Jiménez envió a sus capitanes a explorar por Poniente y Sur, pero sólo encontraron indios belicosos y pobres. Levantó el campamento y siguió hacia el Norte, entrando en la confederación de Hunzá o Tunja, donde halló numerosos botines de oro y sobre todo de esmeraldas. Se dedicó entonces a dominar todos los pueblos notables de la confederación y pasó luego a Sogamoso, donde hizo otro botín de oro y esmeraldas. Volvió más tarde a Bogotá, terminando de dominar el territorio chibcha hacia noviembre de 1537. Lo llamó el Nuevo Reino de Granada. Repartió el botín, mandó otras exploraciones a los alrededores y el 6 de agosto de 1538 mandó fundar la ciudad de Santa Fe de Bogotá, asentando a los conquistadores.

Se dispuso entonces a regresar a Santa Marta para dar cuenta de su descubrimiento, dejando en Bogotá 100 hombres bajo el mando de su hermano Hernán Pérez de Quesada. Fue entonces cuando supo que por el Oriente venía avanzando una hueste española hacia Bogotá. Mandó preguntar quiénes eran y supo que se trataba del capitán Nicolás Federmann, quien había salido de Coro

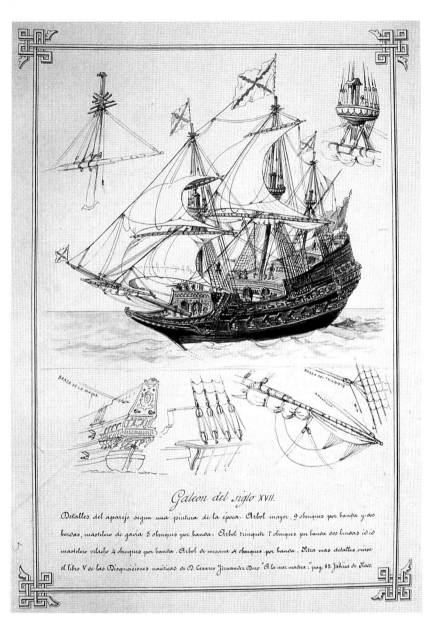

Galeón del siglo XVII.

Detalles del aparejo segun una pintura de la época. Arbol mayor, 9 obenques por banda y dos burdas, mastelero de gavia 5 obenques por banda. Arbol trinquete 7 obenques por banda dos burdas id id mastelero velacho 4 obenques por banda. Arbol de mesana 4 obenques por banda. Para mas detalles véase el libro V de las Disquisiciones nauticas de D. Cesareo Fernandez Duro "A la mar madera", pag 83. Fabrica de Naos

Galeón del siglo XVII

Llegada de Fco. Montejo a Yucatán y enfrentamiento con el rey, por T. de Bry

Carabela *Atrevida* ante Guayaquil; al fondo, el Chimborazo

Monumento a Martín Alonso Pinzón, Palos de la Frontera

en 1537 tras el mítico país del Meta y había sido conducido por los indios hasta el territorio chibcha, donde le dijeron que había riqueza de oro. Quesada inició conversaciones con Federmann para evitar conflictos armados ofreciéndole parte del botín. En plena negociación, le llegaron informaciones de que otra hueste española venía por el río Magdalena abajo. Pronto supo que se trataba de la mandada por don Sebastián de Benalcázar, que venía desde Quito buscando el mítico país de El Dorado y fundando ciudades a su paso.

El asalto al subcontinente

Las conversaciones y tratos hubo que hacerlos a tres bandas y, al cabo, los tres conquistadores acordaron ir a España para dirimir sus diferencias (cada uno de ellos pretendía que el Nuevo Reino pertenecía a Coro, a Santa Marta y a Quito) y dejar a sus hombres en el reino, en categoría de conquistadores. La conexión en Bogotá de aquellas tres huestes descubridoras permitió soldar los espacios hasta entonces dominados, restableciendo comunicación entre lo que luego fueron Venezuela, el Nuevo Reino de Granada y Quito.

El dominio del subcontinente suramericano fue hecho desde las plataformas conquistadas. Ya dijimos que Quito fue descubierto por Benalcázar, quien estableció también su colonización antes de pasar a la gobernación de Popayán y al Nuevo Reino de Granada. Desde Quito y en 1540 salió Gonzalo Pizarro a descubrir el país de la Canela. Se dirigió al Oriente y entró en la Amazonía. Mandó construir un bergantín que bajó por los ríos

Cosanga, Coca, Napo y desde aquí, un grupo de 60 hombres bajo el mando de Orellana descendió al Amazonas, que recorrió hasta su desembocadura, a donde llegaron el 24 de agosto de 1542.

En 1534, el emperador dividió el territorio existente al sur del Perú en tres grandes gobernaciones, separadas por paralelos. Desde los l4º 05' hasta los 25º 31' sería la de Nueva Toledo y se confió a Diego de Almagro. Desde los 25º 31' hasta los 36º 57' sería la de Nueva Andalucía (Río de la Plata) y se le entregó a Pedro de Mendoza. La tercera, desde su frontera hasta el estrecho se llamaría Nueva León y se otorgó a Simón de Alcazaba. La última de ellas fracasó estrepitosamente, pues Alcazaba murió en 1535 a manos de sus subordinados. Don Pedro de Mendoza zarpó de España en 1535 con 11 navíos y 1.300 hombres y se dirigió al Río de la Plata, donde fundó en febrero del año siguiente el puerto de Santa María del Buen Aire. Desde allí envió a Juan de Ayolas al Paraná, fundando Corpus Christi el 15 de junio del mismo año. Ayolas subió luego al Paraguay, estableciendo el fuerte de La Candelaria en el que dejó a su teniente Martínez de Irala. Ayolas intentó luego atravesar desde el Paraguay hasta Bolivia, a través del Chaco. Alcanzó a llegar a los contrafuertes de la cordillera andina, recogió un gran botín de plata y volvió con él al Paraguay, muriendo a manos de los indios.

Mendoza envió al capitán Juan de Salazar tras Ayolas, quien fundó Asunción el 15 de agosto de 1537. El gobernador de la Nueva Andalucía emprendió regreso a España después de su gran obra colonizadora, muriendo en el mismo. El mando cayó entonces en manos de Irala, quien reorganizó la colonia en torno a Asunción.

Por tierras de Norteamérica

Los descubrimientos vinieron entonces desde el Perú, auspiciados por Vaca de Castro. El capitán Diego de Rojas partió de Cuzco en 1543, alcanzó Charcas (Bolivia) y de aquí por Jujuy llegó a Tucurnán. Rojas murió a causa de una flecha indígena, pero su lugarteniente Francisco de Mendoza llevó la hueste a Sancti Spiritus, estableciendo así la conexión entre el Alto Perú y el Río de la Plata.

En cuanto a la gobernación de Nueva Toledo fue explorada por su gobernador Diego de Almagro. Partió de Cuzco en julio de 1535 con medio millar de hombres y se dirigió a la cordillera andina, que atravesó por los páramos (uno de ellos, el de San Francisco, situado a 4.700 metros de altura), cayendo sobre el valle chileno de Copiapó. Desde aquí prosiguió al Sur alcanzando el valle del río Aconcagua, donde asentó el real. Una avanzadilla al Sur, bajo el mando del capitán Gómez de Alvarado, llegó al río Nuble, hallando resistencia indígena. El territorio era pobre, los indios aguerridos y los españoles venían deslumbrados por el Perú. Diego de Almagro decidió abandonar aquel territorio y regresar a donde existía verdadera riqueza: el Cuzco. La empresa chilena quedó así frustrada y el territorio como lugar de frontera, hasta que más tarde Valdivia intentara su conquista y exploración.

Aunque el período se caracterizó por las grandes exploraciones y conquistas en Suramérica hubo también algunas notables en Norteamérica, destacando las de Vázquez de Coronado y Hernando de Soto. El primero de ellos era gobernador de Nueva Galicia y salió de su capital, Compostela, en 1540 en busca de una ciudad

Mercado en la Plaza Mayor de Bogotá, por Castillo Escalón

mítica, llamada Cibola, que fray Marcos de Niza había visto (un miserable poblado indígena de Kansas, en realidad, que el fraile creyó ver con los techos resplandecientes de oro). Coronado cruzó el Suroeste de Arizona y Nuevo México, llegando al fin a Cibola, donde comprobó que era un poblacho sin el menor interés. Desde allí, mandó al capitán Melchor Díaz a explorar por Poniente. Alcanzó a descubrir el río Colorado y murió en el desierto al regresar.

Otro capitán de Coronado, Lopez de Cárdenas, hizo una descubierta hacia el Oeste durante ochenta días, descubriendo el Cañón del Colorado. Desde lo alto del mismo divisó el río del fondo del cañón como si fuera un arroyo, aunque *según dicen (es) tanto o mucho mayor que (el río) de Sevilla*. En 1541, Coronado buscó otra ciudad mítica de inmensas riquezas llamada Quivira. Cruzó Texas, el occidente de Oklahoma y entró en los llanos de Kansas, donde halló Quivira, que le produjo otra enorme desilusión. Coronado estaba junto al río Arkansas, próximo a la actual Wichita, y a sólo unos cientos de kilómetros donde se encontraba otro español, Hernando de Soto, descubriendo igualmente tierras de Norteamérica. De Soto había capitulado en 1537 una gobernación de 200 leguas de costa norteamericana, desde la que podía extenderse hacia el interior. Salió de España en 1538 con 10 buques y casi 1.000 hombres. Recaló en Cuba y luego desembarcó en Tampa. Desde allí repitió el recorrido de Narváez y luego enrumbó al Noroeste, cruzando Georgia. Viró al Oeste pasando por Alabama y el 8 de mayo de 1541 alcanzó el Mississippi, que descubrió cerca de la actual Menphis. Construyó unas piraguas y lo atravesó, subiendo por la otra orilla hasta Arkansas, en busca de

Alegoría de América, por Jacob van Meurs, Madrid, Calcografía

Antonio María Bucarelli, virrey de México

otro pueblo mítico llamado Pacaha, que encontró y le desilusionó también.

Las áreas marginales del Imperio (1542-1600)

De Soto pensó entonces cruzar hacia la Mar del Sur, es decir, recorrer todos los actuales Estados Unidos hasta la costa del Pacífico, pero no halló la ruta adecuada y decidió regresar, perdiéndose en Arkansas. El 21 de mayo de 1542 murió y su cadáver fue echado a las aguas del río que había descubierto, el Mississippi. Su lugarteniente Moscoso se hizo cargo del mando. Intentó ir a México y se perdió también, volviendo al Mississippi, donde mandó construir unas embarcaciones con las que recorrieron el río hasta su desembocadura. De allí navegaron a Pánuco, en la costa mexicana, a donde llegaron el 10 de septiembre de 1543. Desde el desembarco en Tampa habían transcurrido cuatro años y tres meses en aquella aventura descubridora, una de las más audaces de la historia de América.

La segunda mitad del siglo XVI se caracteriza por un lento desarrollo del proceso descubridor y colonizador, centrado principalmente en áreas marginales del Imperio. La colonización de la primera mitad fue, en realidad, excesiva por el espacio abarcado y necesitó un proceso posterior de consolidación, que canalizó todas las energías españolas. Quedaron así únicamente las acciones periféricas de Chile, Filipinas y la tardía de Nuevo México.

Representan dos tipologías de descubrimientos y conquistas tardías en zonas de verdadera frontera y que habían sido descubiertas anteriormente. Valdivia supone

Miguel López de Legazpi, gobernador y capitán general de Filipinas

el esfuerzo por llevar la frontera hasta el extremo meridional de Suramérica. Legazpi, el de colocarla en los límites de la expansión portuguesa. Para esta época se sabe bien que lo importante no es descubrir, sino fundar en lo descubierto. De aquí que las acciones descubridora y colonizadora sean ya simultáneas.

Pedro de Valdivia responde bien a la imagen del conquistador indiano. Nacido en un pueblo de la comarca extremeña de La Serena –posiblemente Castuera– hacia 1497, tuvo una infancia y juventud desconocidas hasta 1522, cuando aparece como soldado en Flandes y poco después en Italia, participando en la guerra del Milanesado. Otro nuevo paréntesis de anonimato sucede en su vida posterior, hasta que en 1535 figura como recluta en la tropa que Jerónimo de Alderete organiza para ir a Paria y reforzar al gobernador Jerónimo Dortal, que deseaba encontrar el fabuloso mito del Meta. En 1536 participa en la aventura venezolana de Dortal, siendo seguramente uno de los muchos soldados que se amotinaron contra el gobernador y vagaron luego por los llanos bajo el mando de los capitanes Nieto y Alderete.

Enviado a Santo Domingo por Federmann, se alistó en la tropa de socorro que acudía al llamamiento de Pizarro, cuando los incas se rebelaron contra su dominación. En 1537 es nombrado maese de campo del marqués y participa en la guerra contra los almagristas. Entre otras muchas recompensas, sacó el nombramiento de teniente de gobernador de Pizarro en Chile, tierra que partió a descubrir y conquistar en 1540. Avanzó por la ruta del desierto, llegó al valle del Mapocho y fundó Santiago el 24 de febrero de 1541, demostrando así su voluntad de no repetir la acción de Almagro. El Cabildo

Imagen idealizada de un indio norteamericano

de la ciudad le nombró gobernador electo, rebelándose contra su gobernador Pizarro. Lentamente, prosigue su avance hacia el Sur, jalonando la ruta de nuevas ciudades: Concepción, La Imperial, Valdivia y Villarrica.

Su obsesión es llegar hasta el mismísimo estrecho, hasta donde manda explorar, para reconstruir la antigua gobernación de Alcazaba, en el Cono Sur, y de uno a otro mar. La muerte le vino en 1553 en el fuerte de Tucapel y a manos de los indios, no dándole más de sí la vida. Su obra fue completada por Hurtado de Mendoza, y Chile quedó así como la frontera austral del Imperio.

Un escribano al mando de la flota

Miguel López de Legazpi no parecía responder a la figura de un descubridor. Era escribano mayor del Cabildo y alcalde ordinario de México, hombre adinerado *y no tiene experiencia en estas cosas (de la mar)*, al decir del virrey Velasco. Su nombre como jefe de la armada que se alistaba en el puerto mexicano de La Navidad para ir a Oceanía fue propuesto por el piloto y clérigo Andrés de Urdaneta, quien estaba empeñado en ir con dicha armada a conquistar Nueva Guinea. La monarquía señaló el objetivo de las Filipinas, para donde salieron cuatro naves el 21 de noviembre de 1564. En alta mar se abrieron las instrucciones secretas y se supo la verdadera meta de la expedición.

La travesía hasta las Marianas se hizo sin más contratiempo que la deserción del patache *San Lucas*, que fue a Mindanao por su cuenta y volvió luego a México. Las Filipinas se alcanzaron el 3 de febrero de 1565. Recorrieron las islas de Sainar, Leyte y Mazagua tratando inútilmente de atraer a los indígenas, que huían cuando veían llegar a los españoles. Una tormenta los desvió a la isla Bohol, donde el cacique Sicatuno accedió a subir a bordo. Se prosiguió a Cebú, donde habían matado a Magallanes. Urdaneta leyó el requerimiento a los naturales, que fue naturalmente desatendido. Se bombardeó el poblado y se desembarcó luego para realizar la conquista de la isla. En ella se fundó la primera población, que fue la Villa de San Miguel, el 8 de mayo del mismo año.

De Cebú se dispuso el regreso de la nao *San Pedro* a Nueva España, bajo el mando de Felipe de Salcedo y la habilidad del piloto Urdaneta. Zarpó a principios de junio de 1565 y subió hasta el paralelo 38, donde cogió la corriente del Kuro Shivo que le condujo a América. El 18 de septiembre, tras una travesía durísima, vieron la primera tierra novohispana, la isla de San Salvador. Bajaron luego por la costa pacífica hasta Acapulco, atracando en ella el 8 de octubre. ¡Al fin habían encontrado los españoles una ruta para regresar desde Oceanía y Asia a las Indias! Les había costado cuarenta y tres años. Sería, en el futuro, la famosa ruta del *Galeón de Manila*. Inmediatamente se dispuso en México el galeón *San Jerónimo,* que hizo el viaje a Filipinas, llevando refuerzos. Legazpi había dominado totalmente Cebú y había terminado con una conjura de varios extranjeros.

En 1568 sobrevino un ataque portugués a los españoles de Cebú, que fue rechazado. Legazpi trasladó luego el real a la isla de Panay, mucho más fértil, y dominó también las de Negros y Samar. En 1570 se conquistó Mindoro y se atacó Luzón, isla controlada por el rajá de Manila y los moros. Más tarde la isla fue conquistada por el propio Legazpi, quien había recibido

ya del rey el título de adelantado de las islas de Los
Ladrones. El 24 de junio de 1571 se fundó Manila, capital
de aquella frontera oceánica del Imperio.

Oñate en Nuevo México

Tras Nueva Galicia y Nueva Vizcaya la frontera
septentrional de México era Nuevo México, un baluarte
frente a las tribus nómadas del Oeste. Hacia allí partió en
1581 Francisco Sánchez Chamuscado quien llegó hasta
Acuco, distante 15 leguas del Río Grande y 80 de la
misteriosa Cibola. Al año siguiente, Antonio de Espejo
alcanzó el mismo lugar, si bien regresó por el río
Conchos. Próximo a terminar el siglo, en 1595, se confió
la conquista de Nuevo México a Juan de Oñate, un
criollo hijo del español Cristóbal de Oñate. La presencia
de Drake en el Pacífico hacía presagiar que los ingleses
hubieran descubierto el estrecho de Anian en el Norte de
América, similar al de Magallanes que se había
encontrado en el Sur. Oñate debía tratar de hallarlo en
algún lugar del Norte de Nuevo México.

Oñate salió de Santa Bárbara en 1598 con unas 400
personas de toda índole y de las que apenas 130 eran
soldados. Pasó a Cibola, los ríos Gila y de las Balsas y en
la provincia de Taos fundó San Gabriel de los Españoles.
Siguió al Noreste hasta los indios pueblos, donde
estableció varias alianzas con los naturales y exploró
luego las llanuras de Kansas, mandando descubiertas en
todas direcciones en busca del estrecho. Oñate avanzó
hacia el noroeste de Texas, cruzó Oklahoma y acampó en
Kansas. Entrado el siglo exploró Missouri, Nebraska e
Iowa. En 1605 fundó la población de Santa Fe en Nuevo

México, que constituiría la frontera más septentrional de los territorios españoles. Más al norte quedaban tierras de indios seminómadas, sin interés para la monarquía. Hacia el poniente estaba la costa atlántica, en la que los ingleses establecerían muy pronto sus primeras colonias.

Los grandes descubridores españoles desaparecieron al llegar la Edad de Oro de las letras. Los administradores, jueces e inquisidores ocuparon los puestos de prestigio que antaño tuvieron los adelantados, y la monarquía hispánica se volvió más compacta, más uniforme y más cerrada, temiendo cuanto venía de fuera. Hubo algunas navegaciones notables en la costa californiana y se realizaron también meritorias penetraciones por algunos misioneros, pero por lo común sobre sendas anteriormente holladas.

Así pasó el siglo XVII y las tres cuartas partes del XVIII, cuando la Ilustración trajo vientos renovadores y la frontera septentrional indiana se vio amenazada por la presencia de unos nuevos invasores, los rusos, lo que produjo otro aluvión de descubrimientos y exploraciones españolas. Fue un canto del cisne. Los descubrimientos geográficos posteriores fueron obra de ingleses, franceses, noruegos, norteamericanos, rusos, etcétera.

Explorando la frontera española con Rusia (1775-1800)

Todo empezó en 1773, cuando el embajador español en San Petersburgo informó a su monarca que los rusos estaban preparando varias expediciones a América, donde contaban ya con varios establecimientos, como podía comprobarse por el mapa que adjuntaba. Carlos

III remitió el informe al virrey de Nueva España don Antonio María Bucarelli, quien tuvo un gran sobresalto al recibirlos, pues pensó que los rusos, estaban a punto de invadir California. Inmediatamente organizó un plan defensivo: una expedición marítima para localizar con precisión dónde estaban los rusos, establecer una comunicación terrestre entre Sonora y Monterrey y fundar una misión en California.

El primer cometido se confió al capitán Juan Pérez, que zarpó del presidio de San Blas en enero de 1774 y subió por la costa pacífica de Norteamérica hasta los 55° sin topar con los rusos. El segundo, se puso en manos de don Juan Bautista de Anza, capitán del presidio de Tubac, que lo ejecutó con prontitud. El tercero, se encargó a los franciscanos, quienes fundaron San Francisco de California el 17 de septiembre de 1776.

Lo grave de todo este asunto es que los rusos estaban efectivamente en el Noroeste de América y llevaban allí casi un cuarto de siglo sin que se hubiesen enterado los españoles, lo cual demuestra cómo habían cambiado las cosas.

En 1741 Vitus Bering había llegado a la costa norteamericana procedente de Kamchatka y, desde entonces, se había efectuado una colonización rusa hacia el Sur apoyada en el negocio peletero.

Tras el fracaso de Juan Pérez se mandó una nueva expedición en 1775, formada por una goleta y una corbeta, bajo el mando de Juan Francisco de la Bodega y Bruno de Heceta. Subieron por la costa hasta los 58° y establecieron contacto con los indios de la Columbia británica.

Cuatro años más tarde, otras dos corbetas, capitaneadas por Ignacio Arteaga y Francisco de la

Bodega, recorrieron la misma costa hasta alcanzar los 60°, en Alaska. Finalmente, en 1788, se estableció contacto con los rusos. Las naves de Esteban Martínez y Gonzalo López de Haro llegaron hasta el establecimiento de Onalaska y fueron recibidos amablemente por los súbditos del zar, que les dejaron curiosear cuanto quisieron y contestaron a todas las preguntas que les formularon.

Últimas expediciones

El virrey de México temió que los rusos bajaran a buscar las pieles de los mamíferos marinos de California y decidió colocar un presidio como línea fronteriza. El punto escogido fue Nutka, situado a los 49° de latitud norte. Allí envió al capitán Esteban Martínez en 1789 para que construyera un pequeño fuerte, lo que cumplió el subordinado. Por Nutka desfilaba todo el mundo, pues también aparecieron por dicho puerto un navío de la nueva nación que se llamaba Estados Unidos de América, un barco portugués y otro inglés, mandado por el capitán James Colnet que pretendía ocupar dicho lugar con el argumento de que allí habían construido los británicos una base de la que sólo se veía una casa de madera. Martínez discutió el asunto con Colnet y como no pudo convencerle le hizo prisionero y le mandó a México para que hiciera allí sus reclamos. Finalmente, el reconocimiento de los establecimientos rusos y sus intenciones fue confiado al marino Salvador Fidalgo, quien lo hizo en 1790, comprobando que los extranjeros se preocupaban sólo de las pieles, que eran gentes muy cordiales y que no tenían intención de seguir bajando al

Sur por la costa norteamericana. Fidalgo exploró también hasta los 60° de latitud norte en Alaska.

La mejor expedición descubridora española fue la de Alejandro Malaspina, efectuada en 1791 con los dos barcos *Descubierta* y *Atrevida.* Cubrió el trayecto desde Acapulco hasta la bahía de Bering en busca del supuesto y eterno estrecho interoceánico, vuelto a poner de moda. Fue un verdadero viaje científico en el que se tomaron datos precisos y se hicieron observaciones importantes sobre los naturales de la costa noroccidental. No se trataba ya de descubrir para ocupar, para dominar, sino para conocer. Mucho habían cambiado los españoles. Lo grave es que otras gentes de otros lugares habían heredado de ellos sus viejos vicios y no sus virtudes. Al terminar el siglo XVIII la costa Noroeste era ya un hervidero de depredadores de fauna y de ocupadores de tierras: norteamericanos, rusos, ingleses, franceses. España estaba a punto de salir definitivamente del Pacífico y del continente americano que había descubierto trescientos años antes.

Bibliografía

Biblioteca Iberoamericana, Anaya, Madrid, 1988. Hay varios tomos sobre biografías de los descubridores. Céspedes, Guillermo, *La Conquista*, tomo I de la Historia de América Latina, Alianza, Madrid, 1985. Chaunu, Pierre, *Conquista y exploración de los nuevos mundos*, Nueva Clío tomos 26 y 26 bis, Barcelona, 1972 y 1973. Day, Alan Edwin, *Discovery and exploration. A reference handbook*, New York, 1980. *Gran Historia Universal*, tomos 27 y 28, Nájera, Madrid, 1987. Godinho, Victorino, *Magalhaes, Os descubrimentos e a economía mundial*, Lisboa, 1982-85, 4 vols. Lucena Salmoral, Manuel (coordinador), *Descubrimiento y fundación de los reinos ultramarinos*, Rialp, Madrid, 1982; *Descubrimiento de América*, Anaya, Madrid, 1988. Manzano, Juan, *Cristóbal Colón. Siete años decisivos de su vida. 1485-1492*, Madrid, 1966; *Colón y su secreto*, Madrid, 1976. Morales Padrón, Francisco, *Historia del descubrimiento y conquista de América*, Editora Nacional, Madrid, 1971. Parias, L. H. (director), *Historia Universal de las exploraciones*, Madrid, 1967-1979, 6 vols. Protagonistas de América, Historia 16, Madrid 1986-87, colección de 50 biografías, muchas de ellas sobre descubridores. Ramos Pérez, Demetrio, *Audacia, negocios y política de los viajes españoles de «descubrimiento y rescate»*, Valladolid, 1981.

Bibilioteca Básica de Historia
TÍTULOS PUBLICADOS

LOS INCAS

EL RENACIMIENTO

LOS AZTECAS

LOS FENICIOS

LA PALESTINA
DE JESÚS

LOS TEMPLARIOS

FARAONES Y
PIRÁMIDES

MITOS Y RITOS
EN GRECIA

LA GUERRA
CIVIL ESPAÑOLA

LA SEGUNDA
GUERRA MUNDIAL

LOS VIAJES
DE COLÓN

DESCUBRIMIENTOS
Y DESCUBRIDORES

NAPOLEÓN

VIDA COTIDIANA EN
LA EDAD MEDIA

CARLOMAGNO

VIDA COTIDIANA
EN ROMA

LOS MAYAS

LA REVOLUCIÓN
FRANCESA

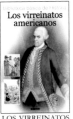

LOS VIRREINATOS
AMERICANOS

LA INQUISICIÓN

Biblioteca básica de Historia

Biblioteca básica de Historia

Biblioteca básica de Historia

Biblioteca básica de Historia

Biblioteca básica de Historia

Biblioteca básica de Historia

Biblioteca básica de Historia